Gregorina
en CHICAGO
La ciudad de los vientos
in CHICAGO
The Windy City

by Milagros Wallace

Illustrated by
Alynor Díaz

D1451815

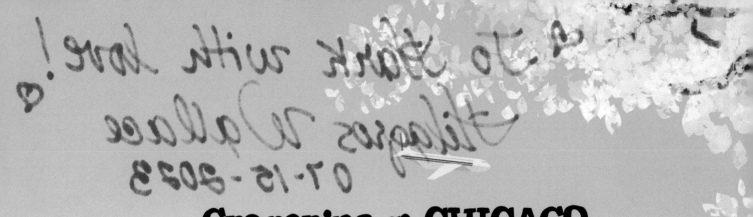

Gregorina en CHICAGO
La ciudad de los vientos

Gregorina in CHICAGO
The Windy City

© Milagros Wallace
Primera edición, 2023

Snow Fountain Press
25 SE 2nd. Avenue, Suite 316
Miami, FL 33131
www.snowfountainpress.com

ISBN: 978-1-957417-43-1

DIRECTORA EDITORIAL
Pilar Vélez

ILUSTRACIONES Y DISEÑO EDITORIAL
Alynor Díaz

A todos los inmigrantes que por cualquier causa han tenido que salir de su país y reconstruir sus vidas en un nuevo lugar.

To all the immigrants who, for whatever reason, have had to leave their country and rebuild their lives in a new place.

Nina

La pequeña Gregorina
viajó desde Venezuela
a la cuidad de los vientos,
e inició una vida nueva.

Abordó el avión con miedo
y le pareció gigantesco
cabía en el mucha gente
con maletas, gatos y perros.

Little Gregorina
traveled to the "Windy City."
She came from Venezuela
to a new life, fine and pretty.

She boarded the plane with fear.
The aircraft looked so vast!
It held a lot of people,
as well as suitcases, horses, and cats.

Llegó en plena primavera
aún se sentía frialdad;
caían copos de nieve,
¡No aguantaba de verdad!

Vendían pájaros dulces,
huevos de varios colores,
estaban en bellos nidos
escondidos entre flores.

6

She arrived in the spring,
when the air was still quite cold.
Snowflakes were falling,
and Gregorina felt like a frozen mold!

They sold sweet birds and
colored eggs adorning towers,
in beautiful nests,
and hidden among flowers.

Con la ropa de algodón
y zapatos descotados
por mucho tiempo sintió
su cuerpo muy helado.

A pesar del frío, ella salió,
disfrutaba el nuevo hogar.
Quería todo en las tiendas,
¡no paraba de comprar!

For a long time, Gregorina felt
that she was not properly dressed,
wearing cotton clothes and low-cut shoes,
her attire far from the best.

Despite the cold, she went out,
enjoying her new hometown.
Gregorina kept shopping!
She wanted to buy everything around!

Mercados con mucha gente,
comida por todos lados,
paquetes con etiquetas con
números enlistados.

There were crowded markets
with food everywhere.
Packages of food labelled
with numbers listed, to compare.

A tres meses de llegar,
Chicago estaba caliente,
un incandescente verano
angustió a toda la gente.

Majestuoso astro sol
con rayos fosforescentes
a la bella ciudad cobijó,
con sus chispas ardientes.

Three months after she arrived,
Chicago's air got hot.
The sweltering agony of summer
distressed people nonstop.

The majestic sun,
with its bright, gleaming rays
covered everything with its splendor,
putting the city on display.

13

Visitó el gran Navy Pier,
se bañó con desespero
con chorritos de agua fresca
que brotaban desde el suelo.

Gregorina visited Navy Pier,
bathing with despair.
Splashes of fresh water
sprouted everywhere.

¡El cuatro de julio la impactó
con sus luces deslumbrantes!
el firmamento era una fiesta
de colores rimbombantes.

The 4ᵗʰ of July blew her mind!
The sky was a party!,
that could alter time
with wild colors and dancing lights.

Las altas temperaturas
secaron los sembradíos,
todo se volvió plano
esperando solo el frío.

High temperatures
dried up the harvest.
Everything was flat,
and cold was the new target.

Peligrosos torbellinos
causantes de malestar,
asustaban por doquier
con sus vientos al girar.

Dangerous whirlwinds
caused discomfort and a sense of foreboding.
They were everywhere,
their winds scary and turning.

Densos árboles perdieron
bellas hojas que colgaban.
Fue necesario ese cambio
porque el hielo las quebraba.

Llegó el ventoso otoño
y Gregorina se asombró.
Las hojas caían del cielo,
¡parecía una explosión!

Dense trees lost
lively leaves and branches,
which needed to happen
before the ice could break them.

Gregorina was amazed
with the windy autumn motion.
When leaves fell from the sky,
it looked like an explosion!

Los niños felices jugaban
sobre montañas de hojas.
Pronto Gregorina aprendió
y se le pasaban las horas.

Learning from the children playing happily
in crunchy mountains of leaves,
Gregorina soon knew how
to have fun under the trees.

25

Disfraces enloquecidos
vio vestir a las personas.
Los niños pedían dulces
caminando por la zona.

26

She saw people dressed
in crazy, elaborate costumes,
while children asked for sweets,
following their holiday custom.

Durante el crudo invierno
Gregorina toleró
las bajas temperaturas
que por poco no aguantó.

Con una mano en el gorro
y otra firme en el abrigo,
Gregorina no encontraba
cómo cubrirse del frío.

Gregorina tolerated
the freezing temps of winter,
temps that got so low
it was difficult to recover.

With one hand on her hat
and another firm in her coat,
Gregorina could not find a way
to protect herself against the cold.

El gran Chicago se vistió
de rojo, verde y dorado;
con árboles decorados
y juguetes encantados.

Vio estalactitas de hielo
posados en blancos techos,
las calles llenas de nieve
con sus caminos estrechos.

The great Chicago dressed
in red, green, and gold,
with decorated trees
and enchanted toys to unfold.

She saw ice stalactites
perched from white ceilings,
and snow-filled streets
with their narrow paths freezing.

Hasta que otra vez llegó
la esperada primavera.
Salieron hermosas flores
y jardines donde quiera.

Until it came again
that long-awaited spring.
The beautiful flowers bloomed,
and the ducks were ready to swim.

Fin
The End

Actividades / Activities

 Dibuja cada árbol con las características de cada estación del año.

Draw each tree with the characteristics of each season of the year.

Primavera / Spring	Verano / Summer
Otoño / Fall	Invierno / Winter

Actividades / Activities

 Dibuja algo sobre un día festivo que ocurre en cada estación del año.

Draw something about a holiday that occurs in each season of the year.

Primavera / Spring	Verano / Summer

Otoño / Fall	Invierno / Winter

Made in the USA
Monee, IL
24 May 2023

34170236R00024